CARRERA SALVAJE

COMPETENCIA EN LA SELVA

CARRERA SALVAJE

¿ESTÁS LISTO PARA LA CARRERA MÁS SALVAJE DE TU VIDA?

Primera etapa: Competencia en la selva

Segunda etapa: Juegos en la

Gran Barrera Coralina

CARRERA SALVAJE

COMPETENCIA EN LA SELVA

·KRISTIN EARHART·

·ILUSTRADO POR **EDA KABAN**·

SCHOLASTIC INC.

A JENNE, QUE SABE LO QUE SIGNIFICA FORMAR PARTE DE UN EQUIPO —KJE

Originally published in English as *Race the Wild: Rain Forest Relay*

Translated by Ana Suárez

ISBN 978-1-338-29934-2

10 9 8 7   22 23

Printed in the U.S.A.   40
First Spanish printing 2018

Book design by Yaffa Jaskoll

¡FELICIDADES!

Tu equipo ha sido seleccionado para participar en **LA VIDA SILVESTRE**, una competencia que se llevará a cabo en distintos lugares del mundo y donde experimentarás la majestuosidad del reino animal.

Si tu equipo es el primero en descifrar todos los acertijos, se ganará el gran premio: ¡un millón de dólares!

La competencia se divide en cuatro etapas, cada una en un hábitat distinto, donde verás animales raros y maravillosos. Ten los ojos y los oídos bien abiertos para que puedas resolver los acertijos y, ten cuidado: ¡el mundo silvestre es hermoso, pero también peligroso!

¡BUENA SUERTE!

CAPÍTULO 1
EL EQUIPO ROJO

Russell Dean observó a los demás participantes caminar hacia el claro. Todos se habían despedido de sus padres el día anterior, antes de montarse en el avión. Russell había salido muy pocas veces de su pueblo y ahora estaba muy lejos, en el medio de la nada. Bueno, en verdad no era la nada, sino el lugar más increíble que había visto en toda su vida.

Los árboles se elevaban a más de treinta metros de altura y su espeso follaje bloqueaba casi toda la luz del sol. El aire, cálido y húmedo, se le pegaba a la piel. Todo en el suelo de la selva se escondía tras un manto de misteriosas sombras verdes. Cuando levantó la vista, le pareció estar mirando a través de un caleidoscopio de tonos verdes con rayos dorados. Sentía que era un lugar especial, casi sagrado.

Cuando volvió a bajar la mirada, el claro estaba lleno de gente. La mayoría eran niños más o menos de su misma edad y había algunos adultos con portapapeles en la mano. Russell no les había prestado mucha atención a los demás niños el día antes porque estaba con sus mejores amigos: Jayden, Dallas, Damien y Gabe, con quienes jugaba fútbol americano de banderas desde hacía tres años. Aunque los cuatro querían competir en "La vida silvestre", la idea de participar había sido de Russell.

Ahora no le quedaba más remedio que lidiar con los otros niños porque ya no estaba con sus amigos.

—¡Bienvenidos! Me llamo Bull Gordon —dijo un hombre.

El hombre estaba parado detrás de un podio, pero no como el que usa el director de la escuela en las reuniones. Era un podio hecho del tronco de un árbol viejo, cuyas raíces se enterraban en la tierra como dedos largos y raquíticos. El hombre apoyó las manos sobre la parte superior del podio.

—Se encuentran en el corazón de la selva amazónica, el hábitat de algunos de los animales más exóticos del mundo. Para todos ustedes, afortunados contrincantes, este es el comienzo de la competencia "La vida silvestre". Es la primera de las cuatro etapas que la integran; cada una se realiza en un ecosistema diferente. Para ganar, deberán demostrar que entienden las leyes que gobiernan cada uno de esos ambientes —explicó Bull.

Hizo una pausa para estudiar a los participantes.

—¡Ahora busquen a su equipo y dense prisa! Después de todo, esto es una competencia —dijo con una sonrisa pícara, la misma con que aparecía en los anuncios de "La vida silvestre".

Russell oyó una voz que al parecer se dirigía a él.

—¡Oye! Tú, el de la carpeta roja.

Russell miró la carpeta que tenía en la mano. Sin duda era roja, distinta a la de sus cuatro amigos: la de ellos era verde.

—¿Vas a hacernos ir hasta donde tú estás? Está bien —dijo la voz.

En un instante, Russell tenía delante a una chica alta con una carpeta roja debajo del brazo y una mochila colgándole del otro.

—Estás en mi equipo. Me llamo Sage Stevens —dijo la chica.

Sage se dio la vuelta y apuntó hacia una niña mucho más baja, de cabello oscuro y largo recogido en una trenza tan gruesa que parecía una cola de pantera.

—Ella es Mari Soto —dijo.

Después apuntó hacia un chico que tenía una cámara enorme colgada del cuello. Casi era más grande que su cabeza.

—Y este es...

—Dev Patel, para servirte —dijo el chico, interrumpiendo a Sage y dándole la mano amablemente a Russell.

Russell lo saludó.

—¿Y tú eres...? —preguntó Sage mirando a Russell con sus intensos ojos azules mientras se acomodaba el cabello detrás de la oreja.

—Me llamo Russell, Russell Dean.

—¿Y cuáles dirías que son tus puntos fuertes? —preguntó Sage mirándolo fijamente—. Me refiero a la competencia. ¿Qué puedes ofrecerle al equipo?

Russell no tenía ninguna intención de responder.

"¿Quién había puesto a esta chica de jefa?", pensó. Lo estaba empezando a poner de mal humor.

—Hay un premio de un millón de dólares —dijo Sage, como si Russell no lo supiera—. Somos un equipo y, si queremos ganar "La vida silvestre", tenemos que ser rápidos, nobles e inteligentes.

Russell sabía bien en qué consistía la competencia. No necesitaba su consejo. Después de todo, había sido idea suya participar. Fue él quien les mandó el enlace a sus amigos. Era una oportunidad única en la vida de viajar a los lugares más exóticos del mundo y ver de cerca la flora y la fauna silvestres. Además, había desafíos que constituían verdaderas aventuras: alpinismo, descender por ríos en balsa, tal vez hasta un safari. ¡Por eso se llamaba "La vida silvestre"!

Russell no podía creer que sus amigos estuvieran todos juntos en un mismo equipo y él hubiera caído en otro con un montón de desconocidos. Había sido él quien convenció a la mamá de Damien para que lo dejara venir y hasta le había prometido cuidarlo.

Miró de reojo y vio a Damien y a sus otros amigos riéndose. No le habían dirigido la palabra desde que se enteraron que ya no estaba en su equipo. No se habían portado mal con él, pero tampoco muy bien que digamos.

"¿Quién iba a pensar que cambiarían el número de integrantes de cada equipo de cinco a cuatro?", había dicho Gabe de pasada, como si fuera algo sin importancia.

Lo peor era que Russell conocía a sus amigos. Sabía que eran listos y rápidos y que habían venido con la intención de ganar.

—Y fuertes —dijo Russell tras una larga pausa, y miró a cada uno de los miembros de su nuevo equipo.

—¿Qué? —preguntó Sage.

—Rápidos, nobles, inteligentes y fuertes. También tenemos que ser fuertes si queremos ser el equipo ganador —contestó Russell.

Sage asintió e hizo una mueca con la boca. A Russell le pareció que intentaba no sonreír. Dev y Mari asintieron también.

—¡Atención, chicos! —gritó Bull, tratando de hacerse oír en medio de la algarabía—. Tienen dos deberes. En primer lugar, conversar con sus compañeros de equipo para conocerse mejor y, en segundo, dormir un poco. Al amanecer les daremos el primer reto. ¡Hasta mañana!

Bull se alejó para conversar con los otros organizadores.

Russell agarró su mochila y se la colgó a la espalda. Se volvió hacia Sage, Mari y Dev.

—¿Alguien sabe cómo llegar a la cabaña del equipo rojo? —preguntó.

LA SELVA AMAZÓNICA

A la selva también se le llama bosque lluvioso tropical, por la misma razón que estás pensando: recibe una gran cantidad de precipitación, generalmente entre 2,03 y 6,35 metros anuales (entre 80 y 250 pulgadas). El bosque lluvioso tropical es muy húmedo, es decir, hay mucha humedad en el aire, y las temperaturas son cálidas durante todo el año, generalmente entre 20 y 34 grados centígrados (entre 68 y 93 grados Fahrenheit).

Aunque los bosques lluviosos tropicales representan solo el 2% de la superficie del planeta, son el hábitat de más del 50% de las especies del mundo entero. Eso significa que más de la mitad de los animales de todas las especies viven en bosques lluviosos tropicales.

La selva amazónica es el bosque lluvioso tropical más grande del mundo y está ubicado en América del Sur. El corazón de ese bosque es el río Amazonas, el cual atraviesa más de 6.400 kilómetros (4.000 millas) desde Los Andes hasta el Océano Atlántico.

CAPÍTULO 2

EL CANTO DEL CUCO

—Mi papá se echó a reír cuando leyó las reglas. Le pareció chistosísimo que no podamos usar celular ni computadora —dijo Sage, guardando la sudadera en la mochila.

—Los adultos creen que no podemos hacer nada sin Internet —añadió Mari, y se amarró la trenza con una liga.

Dev observaba el diminuto dispositivo que habían recibido esa tarde.

—Me parece inconcebible que tenga que dejar mi cámara —dijo con un suspiro—. Y peor aún, tuve que cambiarla por una *ancam*. Ni el nombre tiene gracia. ¿Qué es? ¿Una combinación de animal y cámara? Esta cosa ni siquiera tiene un buen lente. Vamos a tener que acercarnos muchísimo para sacar las fotos.

La *ancam* era una cámara digital y un *walkie-talkie* a la vez, creada especialmente para la competencia. Todas las *ancams* de los competidores estaban programadas para llamar a un solo teléfono: el número directo de "La vida silvestre". Podían utilizarla para comunicarse con los organizadores, ya fuera para que les enviaran un nuevo acertijo... o si estaban en aprietos. Los organizadores, a su vez, las usaban para enviarles mapas u otro tipo de información a los participantes.

—Al menos todos los equipos tienen lo mismo —comentó Mari.

—Y de todas maneras los celulares no tienen señal en el Amazonas —le recordó Russell.

—Te apuesto que si hubiera señal los del equipo verde estarían llamando a su mami cada cinco minutos —agregó Dev.

Todos se rieron, hasta Russell, porque se dio cuenta de que Dev había elegido un equipo al azar para hacer el chiste. No lo hizo por maldad, solo de broma. Russell no les había dicho a sus nuevos compañeros que era amigo de los del equipo verde, y este no parecía ser el mejor momento para ello. Lo irónico del chiste era que la mamá de su amigo Dallas tenía un trabajo genial en una empresa de tecnología que producía lo último en teléfonos y otros dispositivos móviles. Su casa estaba llena de cosas interesantes. Si alguien hubiera podido comunicarse con su mamá desde el Amazonas, ese sería Dallas.

Los cuatro miembros del equipo rojo estaban preparando las mochilas. "La vida silvestre" empezaba al día siguiente y cada competidor podía llevar una mochila. Los organizadores transportarían el resto de sus pertenencias para que las tuvieran a mano en la próxima parada de la competencia.

Marcia y Javier, los responsables de la ropa y los suministros de todos los chicos, se encontraban en la cabaña del equipo rojo explicándoles qué debían llevar.

—Necesitan llevar la mochila y el poncho rojo, el resto lo deciden ustedes. Pueden llevar veinte artículos en total —dijo Marcia.

Los miembros del equipo rojo podían elegir la ropa y los zapatos que quisieran en alguna tonalidad de rojo.

—¿Será bueno o malo que nos haya tocado el rojo? —preguntó Russell—. No podremos camuflarnos. Los demás equipos nos detectarán enseguida.

—Más me preocupa perdernos. Si nos perdemos, un poncho rojo no nos va a servir de nada, por muy rojo que sea. ¿Qué hacemos entonces? —dijo Mari.

—Trata de no perderte. Tenemos que permanecer siempre juntos —dijo Sage tranquilamente.

—Ese es un buen consejo —dijo Javier riéndose.

Sin embargo, Mari, Dev y Russell se miraron unos a otros. No es que fueran a perderse a propósito.

—Si se separan del equipo, usen uno de estos —dijo Javier sosteniendo algo parecido a un silbato de madera. Se lo llevó a la boca y emitió un sonido que parecía entre una risa y un graznido.

—Ah, ¿es el canto del cuco ardilla? —preguntó Mari.

Javier miró con sorpresa a Mari y después al instrumento de madera.

—*Piaya cayana* —leyó Javier en voz alta.

—¡Ah, sí! Me parece que ese es el nombre científico del cuco ardilla —dijo Mari.

Javier volteó el instrumento y frotó con los dedos algo que estaba tallado.

—¡Quién lo hubiera pensado! "El cuco ardilla" —leyó.

—¿Qué? Pensaba que la ardilla y el cuco eran dos animales totalmente distintos. ¿Cómo sabías eso, Mari? —preguntó Dev.

—No sé. Seguro que lo vi en la televisión. Ese pájaro tiene un canto muy especial —respondió Mari sin levantar la vista de las camisetas que revisaba para decidir cuál llevaría.

Russell se acercó a Mari cuando ella fue hacia la mesa de los zapatos.

—¿Qué clase de zapatos piensan llevar? —preguntó.

—Necesitamos dos pares en caso de que uno de ellos se moje —contestó Sage.

"A Sage le encanta dar consejos", pensó Russell tomando un par de sandalias parecidas a unas que tenía el año pasado.

—¡Ni se te ocurra llevar zapatos que no sean cerrados! En el suelo de la selva hay raíces, insectos, pirañas... en fin, entiendes lo que te quiero decir, ¿verdad? —dijo Sage.

Russell decidió tomar un par de zapatillas y

unas botas de goma. Después le echó un vistazo a los demás aparejos: sogas, cinturones de escalar y un cuchillo de tallar madera.

Los chicos hicieron la selección final y Marcia y Javier guardaron el resto de la ropa y los zapatos.

—Adiós, equipo rojo, nos vemos cuando empiece la competencia —dijo Marcia, y se despidió con la mano.

—Aquí tienen —dijo Javier, poniéndoles un silbato de madera del cuco ardilla a cada uno en la palma de la mano—. Cortesía de la casa. ¡Buena suerte, chicos!

Dev cerró el pestillo de la puerta de la cabaña y miró su reloj.

—Doce horas. Doce horas y la vida nos cambiará para siempre —dijo.

Russell miró las dos fotos que había guardado en el bolsillo de afuera de la mochila: una era de él y su hermana mayor con sus padres y, la otra, de él con Dallas, Damien, Jayden y Gabe. No le hacía falta esperar ni una hora más para saber que algunas cosas ya habían cambiado en su vida para siempre.

Russell todavía tenía el cerebro embotado, a pesar de que Sage había soplado el silbato del cuco ardilla hacía más de una hora. Él no necesitaba una hora para prepararse; lo que necesitaba era dormir más. Si Sage no se calmaba, terminaría chiflado.

La selva estaba llena de vida, con sus trinos y graznidos, pero los competidores estaban en silencio. La neblina de la madrugada flotaba sobre las copas de los árboles, protegiendo del sol el suelo de la selva.

Russell les echó un vistazo rápido a sus compañeros de equipo. Esperaba que estuvieran preparados.

—Oye, amigo —le susurró alguien.

Russell se volteó y vio a Dallas a su lado. Su amigo tenía puesto unos pantalones cortos verde oscuro estilo cargo y una camiseta de natación gris con los hombros verdes.

—Quería desearte suerte en la competencia. Todos te apoyamos —dijo Dallas.

—Gracias, mi hermano —dijo Russell.

Los chicos se estrecharon la mano como hacían siempre después de una buena jugada de fútbol y se dieron palmadas en la espalda. Dallas descansó la mano por un momento en la mochila de Russell.

Un segundo después, Russell observó a su amigo regresar al equipo verde. Dallas les hizo un

gesto con el pulgar a los miembros de su equipo, que miraron a Russell y lo saludaron con la mano. Todos sonreían, lo que era raro porque nunca lo hacían antes de un juego. Al contrario, se tomaban cualquier competencia muy en serio.

—¿Conoces a esos chicos? —le preguntó Dev a Russell.

—Sí, son amigos míos del fútbol —respondió Russell.

—¿Y entonces por qué estás en este equipo? —preguntó Sage.

—Ni idea, pero aquí estoy —respondió Russell sosteniendo la mirada sospechosa de Sage.

—Miren, ahí viene Bull —susurró Mari.

Todos fueron hasta donde estaba Bull. Los del equipo amarillo, dos chicas y dos chicos, vestían camisetas a juego color verde limón y pantalones caqui cortos. Junto al equipo amarillo estaba el equipo azul, que parecía sacado de una fotografía de un equipo deportivo escolar. Todos tenían los brazos y las piernas largos y fuertes y llevaban *shorts* y camisetas deportivas. El equipo morado y el anaranjado estaban más cerca del podio. A Russell le daba la impresión de que el equipo anaranjado era el más parecido al rojo en cuanto a sus integrantes. En el morado solo había chicas, mientras que en el verde había solo chicos. Sin embargo, aunque Russell tratara de ver las diferencias entre los distintos equipos, sabía que todos tenían una cosa en común: querían ganar.

—¡Buenos días! ¡Y sí que son unos buenos días! —dijo Bull desde del podio.

Muy pocos chicos respondieron al saludo.

—Disculpen, pero están a punto de competir en "La vida silvestre". ¿Son unos buenos días o no? —preguntó Bull.

—¡Sí! —gritaron los contrincantes, y sus voces reverberaron en el claro.

—Bueno, ya tienen los aparejos y saben las reglas, no hay razón para no empezar. Ha llegado la hora de ingresar la respuesta del primer acertijo en la *ancam* —dijo Bull, e hizo una pausa para mantener el suspenso.

Los equipos esperaron ansiosos.

—¿Cómo se llama la fuente de vida que serpentea por toda la selva hasta el océano Atlántico? A responder y que comience la aventura —dijo Bull.

DATOS DEL ANIMAL

CUCO ARDILLA

NOMBRE CIENTÍFICO: *Piaya cayana*

CLASE: ave

HÁBITAT: desde México hasta Argentina y Uruguay y en la isla de Trinidad

ALIMENTACIÓN: insectos grandes, incluso orugas y avispas; a veces, arañas, lagartijas pequeñas y granos de cacao; rara vez come frutas.

El cuco ardilla le debe el nombre a su costumbre de correr por las ramas de los árboles. Le gusta saltar de rama en rama como las ardillas; no vuela muy a menudo. Construye el nido en lo alto de los árboles.

CAPÍTULO 3

LA SERPIENTE MÁS GRANDE

"¡**D**emasiado fácil! Si no sabía la respuesta a esa pregunta, no merecía estar ahí", pensó Russell.

—¡Dame acá! —le dijo a Dev impaciente, arrebatándole la *ancam*.

Operó el dispositivo hasta que llegó a la pantalla del abecedario. R-Í-O_A-M-A-Z-O-N-A-S, escribió a toda velocidad con los pulgares. Tenía que decirle a su mamá que jugar tantos videojuegos había valido para algo. La pantalla se iluminó y apareció una foto de hojas que formaban la palabra *CORRECTO*. Después decía: *NUEVO ACERTIJO*.

—¡Lo sabía! —susurró Russell en voz baja.

Algunos chicos de los otros equipos lo miraron.

Sage, Mari y Dev se acercaron para ver la pantalla.

¿Qué tiene patas de pato, cuerpo de castor y cabeza de hipopótamo peludo?

Advertencia: Por lo menos la mitad del animal debe estar fuera del agua en la foto.

"¿Cómo? Esta no está nada fácil", pensó Russell. Entonces se dio cuenta de que la primera pregunta sobre el Amazonas había sido un regalo. Ahora era que empezaba la verdadera competencia.

—Yo sé qué es. Vamos al arroyo más cercano —dijo Mari tranquilamente.

—¿Qué es? —preguntó Sage en tono exigente.

Mari no le respondió. Había salido trotando a paso regular por un sendero estrecho.

Russell le devolvió la *ancam* a Dev y siguió a Mari y a Sage, pensando que le llevaban ventaja a los demás equipos. Sin embargo, muy pronto comenzaron a pasarlos chicos y chicas a toda velocidad. Vio que las camisetas azules se desviaron del sendero, tratando de pasar a otros equipos.

"¿Por qué Mari iba tan despacio?", se preguntó.

—¿Podemos ir más rápido? —dijo Russell, deseando que fueran los primeros en llegar al arroyo. Ya habían perdido la ventaja que él ganó gracias a su rapidez con la *ancam*.

—¿Mari? —dijo Sage.

—Paciencia —respondió la chica. Su larga trenza se movía a la par de su paso uniforme.

Más adelante se escuchaba el sonido de gente chapoteando en el agua. Luego se oyeron varias canoas deslizarse por el arroyo. Russell miró a Dev de reojo y puso los ojos en blanco.

"Si Mari sabía la respuesta del acertijo, ¿por qué no se apuraba?", pensó, dudando de si la chica sabía.

Cuando el equipo rojo llegó a la fangosa orilla, los demás estaban más de nueve metros arroyo abajo, riéndose y gritándose unos a otros. Russell vio a Damien golpear el remo contra el agua turbia.

Mari se sentó en una piedra y comenzó a quitarse los zapatos.

—¿Qué haces? —preguntó Russell.

—Chsss, me voy a poner las botas de goma. Sage tiene razón: no hay nada peor que tener los pies mojados —contestó Mari.

—Pero nos están sacando ventaja —dijo Russell.

Dev no dijo nada. Se paró junto a Russell con las manos en las caderas. Sage estaba ocupada preparando la canoa.

Mari comenzó a ponerse las botas.

—También están asustando a los animales. Jamás van a conseguir una foto de un carpincho si los asustan —explicó Mari.

¡El carpincho! Russell había leído algo sobre ese animal, pero nunca habría adivinado el acertijo tan rápido.

—Podemos irnos ahora. Tal vez deberíamos ir contracorriente, en dirección contraria a los demás equipos. Así podremos acercarnos en silencio —dijo Mari parándose y agarrando un remo.

—Sí —dijo Dev—. Así tendremos más posibilidades de sacar la foto.

Cuando se acercaron a las canoas, encontraron a Javier apoyado en un remo.

—Nos volvemos a encontrar, equipo rojo. Seré su acompañante —dijo.

A Russell le dio alegría verlo. En "La vida silvestre" todos los equipos tenían un guía por razones seguridad y para vigilar que se respetaran las reglas. Los competidores no podían depender del guía para que les diera pistas ni les dijera cómo llegar a los lugares. Aun así, era bueno tener a alguien tan chévere como Javier con quien contar.

Por fin partieron. Las canoas del equipo rojo comenzaron a deslizarse por el agua turbia y verdosa. Sage se había sentado delante en la canoa donde iba Javier, y Mari se había sentado en el medio. En la otra canoa iban Dev y Russell. Russell se había sentado detrás porque pensó que tenía más fuerza para remar que Dev, que era alto pero muy flaco.

Los chicos guardaron silencio un largo tiempo. Observaban los árboles y las plantas que llegaban hasta la orilla. Todo les parecía enorme. Había hojas de palmeras que parecían piraguas y nenúfares del tamaño de piscinas para niños pequeños.

Parecía reinar la calma; sin embargo, Russell sabía que había vida en cada capa de la selva y en el agua.

—¿Habrá pirañas bajo la canoa? —dijo en voz alta, aunque la pregunta se la había hecho a sí mismo.

—Lo más probable —respondió Sage.

Guardaron silencio de nuevo.

—Creo que estamos cerca. Veo huellas en el fango —dijo Mari al poco rato.

Russell siguió la mirada de la chica.

—Los carpinchos son roedores muy poco comunes, tienen las patas palmeadas —agregó Mari.

—¡Miren! ¿Qué es eso? —susurró Dev al doblar una curva.

Todos miraron a la vez. Había un animal del tamaño de un cerdo grande con el hocico oscuro y ancho. Su pelaje marrón rojizo se parecía a las cerdas de un cepillo.

—¡Es grandísimo!

—Es el roedor más grande del mundo —informó Mari.

Russell notó que algo se movía detrás del animal. ¡Una serpiente!

—¡Rápido! ¡Saca la foto antes de que la serpiente lo asuste y se meta en el agua! —dijo.

Pero, en el preciso momento en que Dev sacaba la *ancam*, se oyó un chapoteo.

—¡Miren, debe ser ese! —gritó Damien desde una de las canoas del equipo verde.

La canoa se acercó a toda velocidad y chocó con la canoa donde iban Dev y Russell.

—¡La tengo! —gritó Gabe desde la otra canoa del equipo verde.

Russell miró a Dev, que se había caído al suelo de la canoa. Cuando volvió a mirar hacia la orilla, el carpincho se había metido en el agua. Russell rechinó los dientes de rabia.

—¡Fantástico! Mándasela a Bull Gordon ¡ya mismo! —exclamó Dallas.

Los del equipo verde celebraban y chocaban las manos. Dallas miró a Russell a los ojos y,

unos segundos después, los cuatro chicos y su guía se marcharon río abajo.

—¡Increíble, nos robaron la foto! —dijo Sage.

—La mía salió borrosa. La tomé en el mismo instante en que chocaron con nosotros —dijo Dev.

Russell no podía creer que sus amigos hubieran jugado tan sucio.

—Esperemos aquí. El carpincho tendrá que salir tarde o temprano —dijo tratando de concentrarse en la competencia.

—Pueden aguantar la respiración hasta cinco minutos —dijo Mari.

Llevaban uno o dos minutos esperando cuando volvieron a ver algo que se movía en la orilla.

—Es la serpiente —dijo Dev tranquilamente.

—Sí, pero no es una serpiente cualquiera —aclaró Mari—. Es una anaconda, la serpiente más larga que existe. Es capaz de comerse algo que pese la mitad de su peso. Tranquilamente se comería un carpincho porque les gusta cualquier cosa.

Pero la anaconda no iba en dirección al carpincho, sino hacia las canoas.

—¡Qué grande! —dijo Dev—. Si puede comerse algo que pese la mitad de su peso, probablemente...

—Nos coma a nosotros —concluyó Sage.

DATOS DEL ANIMAL

CARPINCHO

NOMBRE CIENTÍFICO: *Hydrochoerus hydrochaeris*

CLASE: mamífero

HÁBITAT: Brasil, Colombia, Uruguay, Venezuela y partes de Argentina

ALIMENTACIÓN: principalmente hierbas y plantas acuáticas; a veces, frutas, granos y corteza

El cuerpo del carpincho es adecuado para su vida semiacuática. Pasa la mitad del tiempo en el agua. Sus patas palmeadas parecen pequeñas patas de rana y gracias a ellas es un buen nadador; pero también tiene unos dedos muy característicos que le facilitan moverse en la tierra (cuatro en cada pata delantera y tres en las traseras).

Como tiene los ojos, las orejas y la nariz cerca de la parte superior de la cabeza, puede ver, respirar y oler mientras flota, escondido casi del todo bajo el agua, ¡igual que un hipopótamo!

CAPÍTULO 4
TRANSPARENTE COMO EL CRISTAL

Los chicos se quedaron en silencio. Russell ni pestañeó. Era muy feo lo que habían hecho sus amigos para robarles la fotografía, pero mucho peor era morir asfixiados por una anaconda.

Miró hacia abajo. Podía ver las manchas verdes y negras de la serpiente cerca de la superficie del agua. Su cuerpo tenía el ancho de sus muslos. Trató de no pensar en las fotos que había visto de anacondas después de engullir sus presas: un inmenso bulto en el centro del cuerpo, una cena entera tragada de un bocado. Se sintió un poco aturdido, aguantó la respiración y trató de no moverse.

—Cuando la anaconda ataca, se enrolla alrededor de la presa y cada vez que la presa exhala, la aprieta más —susurró Mari.

"¿Cómo se le ocurría decir eso en ese preciso momento?", pensó Russell mirando a Mari.

Sentía la canoa mecerse suavemente cada vez que la escamosa serpiente pasaba cerca de ella. Su largo y sinuoso cuerpo producía ondas en la corriente.

—Me quita la respiración —dijo Dev en tono burlón.

Russell no pudo reírse de la broma de su compañero. ¿Acaso no se daba cuenta de lo peligrosa que era una anaconda? No fue hasta que la serpiente estuvo bien lejos que respiró aliviado.

—No se preocupen, nadie se comerá a nadie mientras yo esté presente —dijo Javier.

Pero Russell le había visto el miedo reflejado en el rostro cuando la serpiente pasó por debajo de las canoas.

—Oigan, chicos, ¡miren para allá! —dijo Sage bajito.

Russell entrecerró los ojos y vio varios pares de ojitos, narices y orejas que sobresalían del agua.

—Es un grupo de carpinchos, lo cual tiene sentido porque casi nunca viven solos —dijo Mari.

Dev posicionó la *ancam*.

—No voy a perder otra oportunidad —murmuró.

En ese momento, un carpincho joven salió del agua y la *ancam* hizo *clic, clic, clic*.

—¡La tengo! —gritó Dev antes de que el roedor desapareciera otra vez en el agua.

—Envíasela a Bull Gordon —dijo Sage.

Dev pulsó unos cuantos botones y el grupo oyó el motor de la pequeña *ancam-walkie-talkie*. Al cabo de unos segundos, Dev leyó en voz alta el mensaje que habían recibido.

—Es un acertijo —informó.

¿A quién le late el corazón
dentro de un cristal?

El chico frunció el ceño y miró a sus compañeros.

"¿El corazón dentro de un cristal? —se preguntó Russell confundido—. ¿Estaban en la selva o en una sala de cirugía?"

—Creo que sé de qué se trata —susurró Mari.

—¿De verdad? —preguntó Russell.

Todos miraron a Mari, que se acariciaba la trenza.

—Sí, es un acertijo complicado, pero creo que se refiere a una rana de cristal que vive en la selva —respondió la chica moviendo la cabeza de un lado a otro como si estuviera repasando la información mentalmente.

—¿Una rana de cristal? —preguntó Dev asombrado.

Mari negó con la cabeza.

—No es de cristal de verdad, sino que la piel del estómago es casi transparente y se le ven el corazón y otros órganos —explicó.

—¡Esa misma debe ser! ¿Dónde encontramos una? —preguntó Sage.

—Cerca de algún arroyo o del río —respondió Mari.

—Muy bien, pues hay que tener los ojos bien abiertos ahora cuando nos bajemos de las canoas. No me gusta que el equipo verde nos lleve tanta ventaja —dijo Sage.

Russell la observó.

"¿Por qué diablos daba órdenes? Mari era la que se sabía todas las respuestas", pensó. Aun así, estaba de acuerdo en que debían tratar de alcanzar a los otros equipos.

El ruido de los remos en el agua parecía un sonido más de la selva y acompañaba a los trinos y cantos de las aves. La selva estaba llena de vida. En ella había árboles centenarios y más plantas que en ningún otro lugar del planeta. ¡Y el río Amazonas era su corazón! A lo largo de su recorrido por América del Sur, desembocaban en él miles de afluentes. Muchos se desbordaban en la época de lluvia, derramando más de seis metros cúbicos de agua en el suelo de la selva.

Ahora no era época de lluvia, había menos humedad y las corrientes no estaban tan llenas. Sobre la superficie del agua sobresalían grandes rocas que el equipo rojo tenía que esquivar de vez en cuando.

—Si chocamos contra una de esas piedras, vamos a tener que ir todos en una sola canoa —advirtió Javier.

A pesar del tono amistoso del guía, Russell sabía que debían tener mucho cuidado. A medida que avanzaban corriente abajo, observaba atentamente ambas orillas.

—Si mal no recuerdo, hay cientos de especies de ranas de cristal; pero casi todas tienen la parte superior de color verde claro —gritó Mari para que la escucharan.

—Verde claro en la selva, ¿cómo las vamos a ver? —preguntó Russell.

—No las vamos a ver, los científicos piensan que la piel de las ranas es solo para camuflarse —respondió Mari.

"¿Cómo sabe tantas cosas?", pensó Russell.

—Cuidado ahí delante —dijo Javier.

Russell vio que la corriente por donde iban estaba a punto de unirse con otra más grande.

—¡Hay rápidos a la izquierda! ¡Vayan por la derecha! —gritó Sage.

Russell hundió el remo en el agua para girar.

—¡Por el otro lado! —le gritó a Dev.

Dev sacó el remo del agua y lo volvió a meter rápidamente del otro lado de la canoa, pero la corriente era demasiado fuerte y se lo arrancó de la mano. Ahora Russell tendría que remar solo y había rápidos más adelante.

—¡Lo siento! —gritó Dev.

La otra canoa se deslizaba suavemente corriente abajo, Javier en popa, evitando las peligrosas rocas.

Dev sujetó ambos lados de la canoa, tratando de mantenerla firme.

—¡Espera, mira para allá! —gritó.

—Ahora no puedo admirar el paisaje —dijo Russell en tono irónico con la respiración entrecortada; no obstante, miró hacia atrás por un segundo.

En la orilla más alejada, más allá de las rocas y los rápidos, el equipo verde parecía festejar.

Las canoas del equipo rojo estaban ahora bastante cerca una de la otra. Todos pensaron lo mismo: el equipo verde había dado con la respuesta del acertijo número tres.

—Tratemos de llegar a la otra orilla —les gritó Sage a Dev y a Russell.

Russell remaba con todas sus fuerzas, tratando de controlar la canoa, mientras Dev cambiaba de posición una y otra vez para ayudar a guiarla en la dirección correcta. Llegaron exhaustos a la orilla.

—Me quedaré cuidando las canoas y vigilando —dijo Javier.

Russell asintió. No dudaba que el equipo verde fuera capaz de echar las canoas de su equipo al agua para dejarlos varados en tierra.

—Empiecen a buscar —dijo Sage en cuanto comenzaron a caminar río arriba.

La maleza era más espesa cerca de la orilla porque llegaba bien la luz del sol. Los chicos se abrieron camino entre hierbas, ramas y enredaderas, saltando sobre los helechos. Aunque le sudaban las piernas por el calor, Russell se alegraba de tener pantalones largos que lo protegieran.

—Encontré una rana. Déjame ver si la barriga es transparente —dijo Dev.

Todos se voltearon justo cuando se disponía a agarrar una rana diminuta con llamativas manchas verdes y negras.

—¡No! ¡Es venenosa! —gritó Mari.

Dev retiró la mano a toda velocidad sin quitarle los ojos de encima a la inocente ranita que descansaba en un tronco.

—Es una rana venenosa punta de flecha. Sus vivos colores son para advertir que es venenosa. Te puedes enfermar gravemente si la tocas —explicó Mari.

—Es verde —dijo Dev atónito.

—Las hay azules, amarillas, rojas y verdes, y todas son tóxicas. Algunas matan. La rana que buscamos no tiene manchas llamativas —dijo Mari.

Se pusieron en marcha otra vez. Al poco rato llegaron a un pequeño claro. A la orilla del río crecían árboles.

—¿Dónde debemos buscar? —le preguntó Sage a Mari.

—Probablemente debajo de las hojas porque ahí hay más humedad —respondió Mari.

Russell se preguntaba una y otra vez qué hubiesen hecho si Mari no formara parte del equipo. La chica era una enciclopedia de la vida silvestre.

—¡Encontré una! —dijo Mari agarrando una rana verde clara de una rama y sosteniéndola en el aire.

Los chicos se miraron. Podían ver el interior de la rana a través de la piel transparente.

—¿Eso que late es el corazón? —preguntó Russell.

—Así es —afirmó Mari.

Dev sacó una foto con la *ancam*.

—Genial —dijo.

—Si tú lo dices... A mí me parece una rana asquerosa —dijo Russell.

—¿Enviaste la foto? —preguntó Sage.

Dev no tuvo que contestar. Alzó la *ancam* para que todos leyeran el mensaje de Bull Gordon:

¡Muy bien! Próximo paso: dirigirse a las cuerdas altas.

DATOS DEL ANIMAL

RANA VENENOSA PUNTA DE FLECHA

NOMBRE CIENTÍFICO: existen diversas especies; familia Dendrobatidae

CLASE: anfibio

HÁBITAT: América Central y América del Sur

ALIMENTACIÓN: insectos

Estas ranas son tóxicas. Los nativos de la selva usan su veneno en dardos y flechas para cazar.

Existen cientos de especies en una amplia gama de colores. Siempre son de colores vivos, con manchas o bandas que advierten del peligro a los otros animales: "¡Aléjate de mí! ¡Tengo la piel venenosa!". La mayoría vive en el suelo de la selva, pero algunas viven en los árboles, siempre cerca del agua para mantener la piel húmeda.

CAPÍTULO 5

UN DOSEL INCREÍBLE

Llevaban poco rato en las canoas cuando Russell alzó la vista y vio un muelle donde había amarrados varios botes grandes de motor. Javier los ayudó a sacar las canoas del agua y se presentó a uno de los capitanes de los botes, quien llevaría al equipo al circuito de cuerdas altas.

—¡Hola! —les dijo el capitán a los chicos saludándolos con su vieja gorra de béisbol. Al sonreír, se le marcaron profundas arrugas en el rostro color café.

Russell lo saludó con la cabeza y se sentó en

uno de los botes junto a Dev. Mari se agarró del borde del bote para subir.

Sage subió de última y miró a todos.

—Recuerden que esto no es un paseo turístico, es una competencia y la velocidad cuenta —dijo, y se sentó en la parte delantera del bote.

Russell no sabía bien qué quiso decir la chica con eso. Todo el que hubiera leído la información de "La vida silvestre" sabía lo importante que era mirar y observar. A veces había retos adicionales al final de la competencia y prestar atención podía ser de gran ayuda para un equipo. No siempre bastaba con llegar en primer lugar para ganar.

El capitán condujo el bote hasta un largo muelle de madera.

—¡Gracias! —le dijo Javier al capitán antes de

dirigirse a los chicos—. Ustedes sigan adelante. Nos encontraremos aquí después que adivinen el próximo acertijo.

Los chicos se despidieron del guía y se apresuraron a bajar del bote. Enseguida comenzaron a ver letreros que decían: "CIRCUITO DEL DOSEL".

Russell no necesitaba ayuda de Mari para saber qué querían decir. Había leído sobre eso en la escuela. El dosel era el nombre de una de las capas de la selva.

La capa superior se llamaba "emergente" y quedaba en la cima misma de los árboles. Desde allí, el águila harpía escudriñaba la selva. Las cimas de los árboles parecían nubes verdes y esponjosas. El dosel estaba justo debajo; las anchas ramas de los árboles y el espeso follaje proporcionaban hogar y alimento a toda clase de animales. La capa siguiente se llamaba subdosel y estaba formada principalmente por troncos y enredaderas. Algunos animales vivían allí, pero era mucho más oscura y había menos alimento. La capa más baja era el suelo de la selva, que siempre estaba tapado por la sombra de los árboles. Ahí vivían grandes depredadores, como el jaguar y el ocelote. La mayoría de los animales estaban más seguros refugiándose arriba, en los árboles.

Para allá iba el equipo rojo: hacia lo alto de los árboles. Enseguida encontraron el punto de partida del circuito y a las personas que trabajaban allí proveyendo el equipamiento. Todas tenían camisas que decían "circuito del dosel".

—¿Cómo sabemos si esto va a aguantar nuestro peso? —preguntó Mari mientras se ponía un arnés de nailon.

Russell vio que le temblaban las manos.

—Los arneses son fuertes y estos mosquetones aguantan cientos de libras. Solo tenemos que cerciorarnos de que estén bien cerrados cuando los conectemos a la cuerda —explicó Sage.

Mari miró hacia arriba preocupada. Había gruesas cuerdas de acero que se estiraban de árbol en árbol a casi treinta metros de altura.

—No te preocupes, comprobaremos que todo esté bien. Cuidaremos unos de otros —dijo Sage en un tono de voz sorpresivamente cálido.

Sage fue la primera en subir la escalera. Conducía a una plataforma de madera construida alrededor del tronco de un árbol. Desde ahí tendrían que vencer varios obstáculos. Detrás de ella iban Dev y Mari. Russell iría de último.

Russell se impacientó esperando por Mari. No quería emplear la palabra *lenta*, pero le parecía increíble lo meticulosa que era. Agarraba cada escalón de la escalera con tal cuidado que a él le pareció que se demoró una eternidad.

No obstante, cuando llegó arriba se veía más relajada. Pasó por la red de carga y por la soga sin dificultad. Ahora era Russell quien estaba quedándose atrás.

Aunque sabía que estaban en una competencia, iba despacio, observándolo todo. Un perezoso descansaba a solo tres metros de él. Colgaba bocabajo de un árbol, como si nada, y sus garras amarillas parecían salidas de una película de terror.

Había que caminar una larga distancia entre los árboles por un puente de madera tambaleante. Russell se detuvo a observar el mundo a su alrededor. Todo era diferente allá arriba. La exuberante belleza relucía con la luz del intenso sol.

Ahora entendía por qué le llamaban dosel. Era como un techo que tapaba casi todo lo que había debajo. Protegía las capas inferiores de la selva del sol y la lluvia, muy poca luz del sol traspasaba el denso follaje. Russell vio unas guacamayas que se limpiaban el rojo plumaje con sus picos corvos, una manada de monos araña que arrancaban frutas de los árboles y lagartijas que se camuflaban para confundirse con el entorno. Todos esos animales vivían en el dosel.

En medio de los crujidos y graznidos naturales de la selva, oía las voces familiares de sus amigos del equipo verde. Parecían estar muy lejos, como si estuvieran llegando al final del circuito.

—¡Russell, date prisa, tienes que ver esto! —dijo Sage, más amable que de costumbre, desde la siguiente plataforma.

El estrecho puente se meció cuando Russell cruzó al otro lado.

—¡Mira! —le dijo Dev.

Russell se inclinó hacia delante y vio una planta que parecía crecer de la rama de un árbol. Tenía muchas hojas grandes y dentadas y, en el centro, un pequeño charco de agua... y había algo en el agua.

—¿Es...? —comenzó a decir Russell.

—Es una bromelia. Pertenece a la misma familia que la piña y es increíble. Obtiene el alimento y el agua del aire y reserva agua también —explicó Mari.

—¿Pero qué hay en el agua? —preguntó Russell.

—Son renacuajos que se convertirán en ranas venenosas punta de flecha como la que encontró Dev. Las ranas usan la bromelia para criar sus renacuajos porque están más seguros ahí que en el río.

—¿Y cómo llegaron hasta aquí arriba? —preguntó Russell.

—Los padres los cargan a la espalda —continuó Mari, encogiéndose de hombros.

Russell respiró profundo. La selva era fascinante. Había renacuajos que vivían en una planta que, a su vez, vivía en un árbol gigante a treinta metros del suelo. ¡Qué locura!

—¡Russell, vámonos! —dijo Dev.

Russell se apuró a vencer el obstáculo de estribos. Parecían seis columpios colgados de una misma cuerda. No se demoró mucho en alcanzar a los demás. Cuando llegó, se dio cuenta de que se acercaban al final. El único obstáculo que les faltaba era una tirolesa que los trasladaría el resto del tramo, desde la cima de los árboles hasta el suelo.

Mari miró hacia abajo, clavándose los dientes en el labio inferior.

—No es tan difícil. El sistema está basado en la ley de gravedad y tú eres liviana. No agarrarás mucha velocidad; cien kilómetros por hora como máximo —dijo Dev.

Mari se puso a temblar. Sage se volvió hacia Russell.

—Ve tú primero —dijo tan autoritaria como siempre.

Russell asintió. Si Sage se había llenado de buena voluntad y quería quedarse atrás para convencer a Mari de lanzarse por la tirolesa, él no se lo iba a impedir. Pero tampoco quería abandonar a Mari, que no paraba de juguetear nerviosa con la trenza. Se acercó a ella.

—Te va a ir bien, verás —le dijo, pero no estaba seguro de haberla tranquilizado.

Mientras descendía vertiginosamente con el viento rozándole el rostro, Russell pensaba en eso.

En lugar de imaginarse saltando de rama en rama como un mono araña o planeando por los aires como un águila harpía, estaba preocupado porque sus compañeros de equipo llegaran abajo sanos y salvos.

Fue en ese momento que notó algo raro en un claro. Parecía algo artificial, o sea, hecho por el hombre. Sin embargo, daba la impresión de formar parte del entorno, de haber estado allí toda la vida. Parecía una combinación de una cruz de piedra y un árbol viejo. Lo observó hasta que desapareció de la vista. Cuando volvió a fijarse en la tirolesa, estaba cerca del suelo.

Después de aterrizar, miró a su alrededor. La tirolesa los había adentrado más en la selva. Tuvo que buscar la señal que indicaba el camino de regreso al río.

Mientras esperaba a los demás, pensó en el

equipo verde y en la gran ventaja que les llevarían en esos momentos. No pasó mucho tiempo para que sus compañeros de equipo llegaran al suelo y se quitaran los arneses.

—Ya nos llegó el nuevo acertijo —dijo Dev alzando la *ancam*.

Gris en el agua clara,
rosado oscuro en el agua turbia,
no necesitas ver la cena
si bien la escuchas.

—¡Vaya, otro facilísimo! —dijo Dev en tono de broma.

—No sé qué es, pero si dice algo del agua, debemos volver al río. Ya lo resolveremos en el bote —dijo Sage, dirigiéndose hacia el sendero que llevaba al muelle.

Dev miró a Russell y a Mari y luego siguió a Sage.

—Esperen —susurró Mari.

Russell fue el único que la oyó.

—Me parece que sé qué es —agregó Mari, llevándose las manos a las sienes.

—¡Esperen, chicos! —dijo Russell. Alzó la vista y vio que Sage y Dev habían doblado por una curva. Casi no los veía—. ¡Esperen un momento! —gritó.

Russell se volteó hacia Mari, aún absorta en sus pensamientos.

Dev y Sage ya venían de regreso cuando Russell oyó un ruido.

—¿Qué? —gritó Sage, todavía a cierta distancia de Russell. No parecía muy contenta.

Russell no le respondió. Estaba tratando de determinar qué era el ruido. Lo escuchó de nuevo. Le pareció un rugido, y esta vez se oía más cerca.

—¡Ay, no! —exclamó Sage deteniéndose.

Se encontraban en compañía de un cachorro de jaguar de ojos azules, peludo y con muchas manchas, demasiado joven para andar solo.

El rugido se escuchó más fuerte.

—Ese no fue el cachorro, sino la madre —dijo Sage desde donde estaba—. ¡Tenemos que salir de aquí! ¡Corran hacia el otro lado, y rápido!

DATOS DEL ANIMAL

PEREZOSO DE TRES DEDOS

NOMBRE CIENTÍFICO: *Bradypus tridactylus*

CLASE: mamífero

HÁBITAT: bosques lluviosos tropicales de América Central y América del Sur

ALIMENTACIÓN: hojas, ramas y capullos

¿Qué animal es del tamaño de un gato casero, vive bocabajo y es uno de los más lentos del mundo? ¡El perezoso! El perezoso de tres dedos tiene las garras largas y corvas, y son tan fuertes que puede colgarse de ellas el día entero, hasta dormido, ¡y duerme muchísimo! El largo de sus garras le dificulta andar por tierra, por eso está más seguro en lo alto de los árboles. Su pelaje a menudo tiene una tonalidad verdosa debido a que las algas se adhieren a él.

Hay perezosos de tres dedos y también de dos dedos, pero pertenecen a especies distintas.

CAPÍTULO 6

UN BUEN DEPREDADOR

Russell vio algo moverse entre las hojas. Le agarró la mano a Mari y salieron corriendo para alejarse del cachorro. Sabía que la madre haría cualquier cosa por proteger a su cría.

—¡Nos vemos en el bote! —gritó Sage.

Su voz se oía cada vez más lejos a medida que se alejaba con Dev por el sendero. Russell y Mari se adentraron en la selva.

Corrieron hasta que no pudieron más. Russell jadeaba y sentía que le ardía la garganta.

—Me parece increíble que hayamos tenido la suerte de ver un jaguar. Están en peligro de extinción y son muy solitarios —dijo Mari.

Russell no pensaba que habían tenido tanta suerte. Miró a su alrededor y se dio cuenta de lo tontos que habían sido. Habían corrido sin pensar, sin fijarse por dónde iban.

—Aquí pasa algo raro —dijo.

Aunque la selva estaba siempre permeada de sonidos, escuchaba demasiadas ramas crujir, como si se acercara un grupo grande de animales.

—¡Vamos! —le dijo a Mari.

Los chicos salieron trotando, pero al poco rato se detuvieron.

—Todavía oigo el ruido —añadió Russell.

Fue entonces cuando vio el árbol. Sus ramas superiores se abrían en el cielo como un paraguas verde gigante, a casi sesenta metros de altura. Sin embargo, lo que le interesaba a Russell era la base. Del tronco salían muchas raíces, como patas, dándole al árbol el aspecto de un monstruo marino que se elevaba sobre la tierra húmeda; pero a Russell eso no le importó. Vio una abertura entre las retorcidas raíces y trató de no pensar en los cientos de animalitos que vivirían en un hueco oscuro como ese. Se quitó la mochila y se deslizó por el hueco. Dentro estaba oscuro y el aire húmedo tenía un olor intenso.

—Un buen depredador nos puede rastrear hasta aquí con el olfato —dijo Mari, que lo había seguido.

Russell le hizo un gesto a la chica para que hiciera silencio.

—Un buen depredador no hace tanto ruido para avisarnos que se acerca —susurró.

Sabía que Mari había comprendido. Al principio, él también pensó que el jaguar los perseguía, pero los jaguares eran demasiado inteligentes y sigilosos como para dejar que los detectaran así de fácil. Russell se arrodilló en el hueco y escuchó. Además de escuchar un extraño goteo debajo del árbol, oía algo más. Eran voces que se aproximaban.

—¿Para dónde fueron?

Russell reconoció enseguida la voz de Gabe.

—No sé, dice que deberían de estar aquí —respondió Dallas.

A pesar de la oscuridad, Russell vio que Mari se había dado cuenta de que se trataba del equipo verde.

—Tal vez está roto. A lo mejor el equipo de Russell no vino en esta dirección —dijo Dallas.

Russell sacó la cabeza del hueco, pero no vio nada.

"¿De qué hablaba Dallas?", se preguntó.

—Funcionaba hasta ahora —añadió Dallas.

—No importa. Yo creo que Russell está perdido o quizás se le perdió la mochila y la está buscando. Tenemos que regresar al río. A lo mejor nuestro guía nos puede dar una pista —dijo Jayden.

Nadie le respondió. Los miembros del equipo verde se marcharon por donde mismo habían venido.

—¿De qué hablaban? —preguntó Mari tratando de salir del hueco.

—No estoy seguro. Oíste lo mismo que yo. Parece que nos siguieron —contestó Russell.

—¿Pero por qué? —preguntó Mari.

Russell negó con la cabeza mientras se sacudía las hormigas de las piernas. Aunque tenía una vaga sospecha de cómo los habían encontrado sus amigos, no pensaba decir nada, a no ser que quisiera que los echaran de la competencia. Por el momento decidió concentrarse en su propio equipo.

—Nos tenemos que ir —dijo.

—Vinimos de allá, ¿no es cierto? —preguntó Mari, dudosa, de espaldas a Russell, mirando en dirección contraria a él.

—Creo que no —respondió Russell al notar unas huellas en el suelo—. Parece que el equipo verde tomó este camino.

Se marcharon sin decir más. Russell perdió enseguida el rastro del equipo verde. Mari no iba rápido, pero sí a paso regular, y eso le dio tiempo a Russell para tratar de encontrar la mejor ruta. Era difícil saber si iban en la dirección correcta. Guió a Mari cuesta abajo, con la esperanza de encontrar el río, pero pronto descubrieron que el terreno se empinaba otra vez.

—Espera, no reconozco nada —dijo Mari al cabo de un rato y miró en dirección contraria.

A Russell le parecía que esa parte de la selva era exactamente igual al resto: musgo por todos lados, un sinfín de árboles, hojas verde esmeralda por encima de ellos y hojas muertas en el suelo.

Nunca lo habría reconocido, pero estaba seguro de que estaban perdidos.

ESPECIES EN PELIGRO DE EXTINCIÓN Y HÁBITAT

Muchas especies de la selva amazónica están en peligro de extinción. Ese es el término que se utiliza para referirse a un animal que podría desaparecer en el futuro cercano. Un animal se considera extinto cuando no queda vivo ninguno de su tipo. Algunos de los animales de la Amazonía que están en peligro de extinción son:

mono araña de cabeza negra

tamarino león dorado

guacamaya verde limón

rana de cristal

Muchos otros animales, tanto presas como depredadores, están en la categoría de vulnerables o amenazados. Algunos de ellos son:

águila harpía

jaguar

aguará guazú

tapir amazónico

El mayor peligro que corren estos animales es la pérdida de su hábitat. Desde los años sesenta, los frondosos bosques han sido reemplazados por granjas, ranchos y carreteras. La tala de los bosques lluviosos tropicales constituye una grave amenaza para los animales, las plantas y los seres humanos por igual.

CAPÍTULO 7

ROSADO EN LA SELVA

Mari se detuvo y prestó atención. Russell la observó mirar hacia el cielo, alerta como un gato.

—¿Oyes eso? —susurró Mari.

Russell oía muchos sonidos que se confundían unos con otros. Trató de prestar atención. Escuchaba un sonido totalmente diferente al que hacía el equipo verde cuando los seguía.

—Es el cuco ardilla. El mismo canto una y otra vez —dijo Mari sonriéndole a Russell y encaminándose hacia donde provenía el sonido—. Te apuesto que ese no es un pájaro de verdad. No he visto ningún cuco ardilla por aquí. Son Sage y Dev turnándose con el silbato —añadió.

Russell siguió a Mari, asombrado de que pudiera distinguir el canto del cuco ardilla en medio del coro de la selva.

Muy pronto llegaron a un pequeño claro. Russell se quedó helado.

—¡Esto lo vi desde las cuerdas! —dijo.

En medio del claro había un monumento de piedra cubierto de antiguas inscripciones talladas. Era una reliquia de viejas civilizaciones amazónicas. El chico se detuvo y lo observó. Sabía que en la selva vivían personas, pero no había visto ninguna. Luego se dio cuenta de que el monumento tenía forma de árbol: el mismo tipo de árbol donde Mari y él se habían escondido del equipo verde.

—¡Russell, vamos! —dijo Mari desde el otro lado del claro—. Si viste esto desde las cuerdas, quiere decir que estamos cerca. Además, recuerda que estamos en una competencia —añadió la chica en un tono parecido al de Sage.

Al cabo de un rato encontraron por fin el camino al río. Allí los esperaban Javier, Sage y Dev sonrientes. A sus compañeros de equipo les dio mucha alegría saber que el equipo verde no les llevaba tanta ventaja.

—¡Fantástico! Todavía no han regresado al muelle, a lo mejor hasta vamos a la cabeza, pero tenemos que adivinar el acertijo —dijo Sage mientras se sentaban en el bote.

Dev desabrochó la *ancam* de su correa de aparejos y leyó el acertijo otra vez.

—Es posible que las dos últimas líneas, eso de no ver la cena si la escuchas, se refieran a la ecolo-

cación. ¿Comprenden? Al uso de un sonar. Muchos animales son capaces de producir un sonido y localizar cosas guiándose por el eco de las ondas sonoras —dijo Dev.

—Como los murciélagos —dijo Sage.

—Y los delfines —añadió Russell.

—¡Eso es! —gritó Mari—. El delfín rosado. No se me había ocurrido. Usa la ecolocación y en aguas muy turbias parece rosado; pero si el agua está limpia, es gris. Creo que tiene que ver con el reflejo del sol en la piel o algo así.

—¡Buenísimo! Ahora lo que tenemos que hacer es buscar un delfín rosado. ¿En el río, me imagino? —dijo Sage.

La pregunta estaba dirigida a Mari.

—Sí —dijo Mari conteniendo la risa—. En la época de lluvia se aventuran hasta las corrientes más bajas y las zonas anegadas, pero en esta época están en el río.

—¿Entonces debemos ir río abajo? —preguntó Javier.

Los chicos asintieron.

—Muy bien, señor, vámonos —dijo Javier, señalando la dirección en la que deseaban partir.

El capitán asintió.

—¡Levar anclas! —dijo en broma, porque el bote de motor no tenía ningún ancla.

—¿Creen que debemos preguntarle al capitán si puede ir más rápido? —susurró Sage al cabo de un rato.

—Probablemente tengamos más suerte de ver un delfín si no vamos tan rápido. Aun así, vamos a necesitar mucha suerte —dijo Mari.

Todos guardaron silencio.

—¿Pescado? —preguntó de pronto el capitán.

—No —respondió Sage negando con la cabeza—, necesitamos un delfín.

—¿No quieren pescado? —repitió el capitán extrañado.

Russell miró al capitán y vio que apuntaba a una cubeta llena de pescado.

—¡Pescado! —gritó Russell—. Podemos usarlos para atraer al delfín. ¡Gracias! —añadió, y agarró la cubeta con las dos manos.

El capitán sonrió. Sus ojos brillaban como el sol en el agua.

Javier habló con el capitán y confirmó que era un buen lugar para localizar a los delfines.

—Dice que cerca de aquí hay un muelle donde los turistas hasta nadan con ellos —dijo Javier.

Llevaban solo unos minutos tirando los pescados al agua cuando vieron un hociquillo rosado en la superficie.

—¡Rápido, Dev! —gritó Russell.

Sage lanzó un pescado al aire y el delfín lo atrapó, cerrando de inmediato su largo y delgado hocico.

—¡La tengo! —gritó Dev.

—El cerebro de los delfines tiene un 40 por ciento más de capacidad que el de los seres humanos —dijo Mari.

Russell observó el delfín, su cabeza rosada con manchas grises, sus diminutos ojos redondos y su amplia sonrisa. Pensó en lo fantástico que sería nadar con ellos y por un momento deseó no estar en la competencia.

—Ya tenemos el siguiente acertijo —dijo Dev.

Pasa por donde las aguas se
encuentran

y alegres banderines anunciarán

la meta.

Sigue el camino que te han trazado

y DESCIFRA el último acertijo del

Amazonas.

—¡Qué horrible! Mi hermanito escribe mejores poesías que esa —dijo Dev.

—No lo dudo, pero tenemos que tomar una decisión. ¿Seguimos corriente abajo? —preguntó Sage.

Todo los miembros del equipo rojo asintieron.

—Sujétense bien —dijo el capitán, moviendo la caña del timón.

El motor arrancó con dificultad y el bote salió disparado.

Al poco rato, dejaron de oír el ruido del motor. Russell se volteó y vio que se acercaba un bote más grande con la proa muy levantada. Los pasó a toda velocidad, haciendo olas en el río. Russell se sujetó del borde del pequeño bote, que se tambaleó. La palabra que le vino a la mente fue *maleducados*.

—¡No es posible! —gritó Dev.

—¿Cómo consiguieron *ellos* ese bote? —dijo Sage.

Russell no quería mirar; pero cuando lo hizo, comprobó lo que ya sabía: era el equipo verde.

—No sé —respondió Javier—. A lo mejor ese bote llegó después que nos fuimos. Estoy seguro de que no estaba en el muelle.

Russell vio varios botes desaparecer en una de las tantas curvas del Amazonas. Era evidente que el botecito en el que viajaban iba a máxima velocidad. Lo único que podían hacer era observar y esperar.

No obstante, él sí tenía algo que hacer. Tratando de no llamar la atención, inspeccionó su mochila. Había querido hacerlo desde que el equipo verde se apareció cerca del árbol gigante.

Enseguida halló lo que buscaba. Parecía un sello, un parche de tela con un trébol de cuatro hojas. Estaba pegado con pegamento y se confundía con el diseño de la mochila.

Lo arrancó y encontró un pequeño chip debajo. Esa era la prueba de que sus amigos lo estaban siguiendo. Dallas probablemente había conseguido el GPS en el trabajo de su mamá. Por eso el equipo verde había ido río arriba en busca del carpincho.

A Russell se le hizo un nudo en el estómago al pensar que todavía le estaban siguiendo el rastro. Deben haberse dado cuenta de que el equipo rojo se detuvo en el río el tiempo justo para tomarle una foto al delfín rosado. Seguro los habían seguido y le habían sacado una foto al mismo delfín.

Primero pensó tirar el chip al río para librarse de él, pero cambió de idea. No se debía botar un objeto electrónico al agua.

"¿Qué sucedería si algún pez se lo comía?", pensó. Se lo puso en el bolsillo. Después decidiría qué hacer.

Miró de reojo a Javier, que tenía una expresión tan seria como la de sus compañeros. El guía se dio cuenta de que Russell lo miraba.

—No sé cómo consiguieron ese bote tan rápido —dijo Javier.

Russell se encogió de hombros.

—No van lejos los de alante si los de atrás corren bien —dijo.

Había oído a su papá decir eso un montón de veces cuando otro equipo hacía una buena jugada. Era la manera que tenía de recordarle que nada era fácil en la vida, pero que había que seguir intentando. En este momento, necesitaba repetirse esa frase a sí mismo.

—Oye, Javier —dijo Russell, tratando de pensar en otra cosa—, vi un monumento de piedra desde las cuerdas. Estaba tallado. Parece que lo hicieron hace mucho tiempo.

—Sí, sé qué es. Simboliza la ceiba, o árbol del mundo. Es un árbol sagrado para los habitantes de esta región. Sus ramas parecen llegar al cielo y sus raíces penetran hondo en la tierra. La ceiba es un símbolo de la interrelación entre todos los seres vivos —explicó Javier.

Russell asintió. Le gustaba esa idea. Todavía tenía la mano en el bolsillo donde guardó el chip.

—¿Qué es eso? —gritó Dev.

Russell miró hacia donde señalaba su compañero de equipo. Dev se apoyó en el hombro de Mari y se puso de pie.

—Esa agua es de un color distinto —dijo.

—¡Dev, es aquí! Ahora sé por qué el río cambia de color —dijo Sage—. ¡Aquí es donde se encuentran las aguas!

LA VIDA EN LA SELVA

Actualmente cientos de miles de personas viven en la selva amazónica. Hay más de 400 tribus y se hablan más de 180 idiomas. Algunas de esas personas viven de acuerdo con sus costumbres tradicionales, que datan de hace siglos. Fabrican sus propias herramientas, cazan y recolectan alimentos en la selva y construyen canoas con el tronco gigante de la ceiba. Sin embargo, la vida en muchas aldeas ha cambiado debido a la influencia del mundo exterior.

Los arqueólogos han hallado pruebas de que en el Amazonas habitaron muchas civilizaciones altamente organizadas y más pobladas que las actuales. Hace aproximadamente 500 años vivían en la selva cerca de siete millones de personas; pero cuando llegaron los conquistadores en el siglo XVI trajeron muchas enfermedades. Algunas, como la viruela, eran desconocidas para los habitantes del Amazonas y un gran número de ellos murió.

Los habitantes actuales de la selva siguen siendo muy ingeniosos. Saben qué plantas se comen, cuáles son medicinales y cuáles evitar porque son venenosas o porque no saben bien. Han encontrado su sustento en la selva y contribuyen a su preservación.

CAPÍTULO 8
UNA AMISTAD EN PELIGRO

—¡Tiene que ser eso! El río donde estamos ahora es el Amazonas y ese tiene que ser el Río Negro. ¿Ven que es más oscuro que el Amazonas? Hay un tramo donde las aguas no se mezclan. Los dos ríos corren uno al lado del otro —explicó Sage.

"¿Cómo sabía todo eso?", pensó Russell frunciendo el ceño.

Mari debió de pensar lo mismo porque le preguntó cómo estaba tan segura.

—Es por mi hermana —dijo Sage—. Hizo un proyecto sobre la erosión de los ríos americanos para una feria de ciencia. Les aseguro que es un genio.

—Cada vez que llueve, cosa que ocurre a menudo en la selva, la lluvia arrastra tierra y nutrientes hacia el agua. Por eso ese río tiene ese color. En el río Amazonas ocurre lo mismo, pero es más verde —explicó Javier.

Y como si fuera una señal empezó a lloviznar. Hacía tanto calor que la lluvia resultaba agradable.

—Entonces, ¿es este el lugar que buscamos? —preguntó Dev mirando al guía.

—No les puedo responder. Quizás deberían leer el acertijo otra vez —respondió Javier.

Dev lo leyó de nuevo, a pesar de la mala rima, y todos se pusieron a buscar los banderines que anunciaban la meta. Sage y Dev buscaban por un lado y Mari y Russell, por el otro.

Russell vio enseguida los banderines con el logotipo de "La vida silvestre". Enmarcaban un camino que llevaba a una playa fangosa. El bote grande ya estaba allí.

—Al menos hay un solo bote. A lo mejor estamos en segundo lugar —dijo Dev.

No habían visto a ninguno de los otros equipos desde el principio de la competencia, así que no tenían la menor idea de dónde podían estar.

—Todavía no se ha acabado —dijo Sage, saltando al río con sus botas de goma antes de que el bote llegara a la orilla.

El próximo en saltar fue Russell, que aterrizó en el fango. Lo siguieron Dev y Mari.

—¡Buena suerte! —les gritó Javier.

Los chicos se despidieron de Javier y echaron a andar rápidamente por un sendero empinado bordeado de piedras. Al llegar a la parte más alta del sendero, vieron que descendía abruptamente hasta un barranco por el que corría un arroyito de agua color café con leche.

—¿Cómo lo vamos a cruzar? —preguntó Mari.

—Hay otro banderín más allá —dijo Dev apuntando corriente abajo.

Bajaron bordeando la estrecha cresta, abriéndose paso entre los matorrales.

Sage se agachó al llegar frente al banderín que indicaba la existencia de un puente.

—¡No lo puedo creer! —dijo molesta.

El resto del equipo la rodeó. Russell tampoco lo podía creer.

—¿El equipo verde cortó el puente de soga para que nadie más pudiera cruzar? No tienen mucho espíritu deportivo esos chicos —dijo Dev mirando al otro lado del barranco.

Russell observó los pedazos de soga gris que colgaban del otro lado.

—Es la única explicación —dijo Sage levantando lo que quedaba de puente. Las tablas de madera repiquetearon contra la pared de tierra.

Russell no salía de su asombro. ¿Acaso eran capaces sus amigos de hacer algo semejante? Y todo esto era culpa suya. Si no hubiera sido tan tonto y no los hubiera dejado seguirle el rastro, no llevarían la delantera. Por lo tanto, era responsabilidad suya buscar la manera de cruzar.

—Vamos a cruzarlo caminando —sugirió.

—Esa no es una alternativa —dijo Mari muy segura—. En el arroyo hay pirañas. Aunque generalmente no atacan a las personas, el agua está muy bajita y no tienen mucho que comer. Están desesperadas, tanto ellas como nosotros.

Russell tragó en seco y miró a su alrededor, primero hacia lo alto de los árboles y luego a la otra orilla.

—Las lianas. Podemos usarlas para saltar al otro lado —dijo.

—¿En serio? Ves demasiadas películas —dijo Sage.

—¿Se te ocurre algo mejor? —preguntó Russell. Ya había mirado por todos lados y no parecía haber otro puente—. No debemos alejarnos de los banderines. Anímense, chicos —añadió halando una gruesa liana enredada en una rama.

—Esa no —dijo Dev estudiando la liana y mirando hacia el otro lado del barranco—. Caeremos en medio del agua. Necesitamos una que esté más cerca del borde.

Dev dio varios pasos fijándose en las ramas.

—Una así —dijo finalmente.

Lanzó la liana con todas sus fuerzas sobre el barranco y la punta tocó la otra orilla.

Russell, Sage y Mari vieron cómo la liana regresaba hasta donde estaban.

—No tenemos otra opción —dijo Dev—. Yo cruzaré primero.

Russell sostuvo la liana firmemente hasta que Dev se sujetó bien.

—¿Listo? —preguntó Russell.

Mari cerró los ojos.

—Listo —dijo Dev.

Russell sujetó a su compañero por la cintura, dio un paso atrás y luego corrió hacia delante, dándole un fuerte empujón. Cuando lo soltó, le pareció que una parte de él volaba también sobre el arroyo.

Dev soltó la liana en el preciso instante en que alcanzó su punto más alto. Cayó al suelo hecho un bulto, pero no parecía haberse hecho daño.

—¡Wujuuu! Dev, ¿estás bien? —gritó Sage saltando de alegría.

—Es más o menos divertido —dijo Dev, haciendo un esfuerzo por levantarse.

Mari abrió los ojos.

—¿Lo consiguió? —preguntó.

—Sí, y ahora te toca a ti —respondió Sage.

DATOS DEL ANIMAL

PIRAÑA

NOMBRE CIENTÍFICO: diversas especies,

familia *Characidae*

CLASE: pez

HÁBITAT: corrientes y ríos de América del Sur

ALIMENTACIÓN: generalmente, peces, caracoles e insectos; pero también se alimenta de plantas y semillas, y a veces de aves y mamíferos.

Existen muchas especies de pirañas, pero todas tienen una característica en común: sus afilados dientes triangulares. Poseen una mandíbula muy fuerte que les permite mascar fácilmente un bocado grande de carne. Generalmente cazan solas. Los ataques en grupo suelen ocurrir en temporada de sequía, cuando el nivel del agua es baja y hay menos alimento. A pesar de su mala reputación, los ataques a personas son poco comunes.

CAPÍTULO 9

CARRERA HASTA LA META

Dev casi tiene que halar a Mari para que soltara la liana, pero la chica logró llegar intacta. La próxima era Sage, que saltó con habilidad y cayó con gracia al otro lado del barranco. Justo cuando le devolvía la liana a Russell, este escuchó el ruido de un motor.

—¡Otro equipo acaba de llegar! Avancen, yo los alcanzo —gritó Russell.

Le sorprendió que no tuviera que convencerlos. Se marcharon en el acto por un sendero estrecho, a través de helechos y palmeras.

La lluvia arreció. Russell nunca había estado tan empapado. Se limpió los ojos y observó el barranco que debía saltar. Había ayudado a los demás a impulsarse, pero él tendría que hacerlo solo. Dio un paso atrás y se abalanzó. Se empujó con los pies y sintió cómo se le tensaban los brazos y le dolieron las manos ampolladas. No tuvo tiempo de sentir el viento en su cabello porque enseguida la liana empezó a oscilar de regreso. La soltó a tiempo, pero al caer resbaló y terminó muy cerca del remanso de las pirañas. Se levantó y logró subir la pared del barranco. Se acostó un momento en el fango, saboreando la tierra que le había entrado en la boca. Ahora no solo estaba mojado, sino también enlodado.

Unas voces desconocidas le recordaron que no estaba en un campo de fútbol. No, estaba en la primera etapa de "La vida silvestre" ¡y a pocos pasos de la meta! Se puso de pie y echó a andar, apurándose al cruzar frente al primer banderín que encontró. Tenía que reunirse con su equipo.

Corrió por una empinada escalera de piedra mientras sentía el sabor a tierra en la boca. Al llegar arriba, se dio cuenta de que estaba parado en una plataforma frente a una cascada. Había una barandilla muy cerca del agua. Le hubiese gustado admirar el paisaje, pero Bull Gordon estaba allí. A su derecha estaba el equipo verde y a su izquierda, los demás miembros del equipo rojo.

—¡Russell, bienvenido! Ahora que el equipo rojo está completo, les informo que son los segundos en llegar —gritó Bull.

Russell sonrió, pero sus compañeros estaban muy serios.

—El equipo verde llegó primero; sin embargo,

no adivinaron el último acertijo. Ahora veremos si tu equipo lo puede resolver —agregó Bull entregándole un sobre.

Los miembros del equipo rojo se apiñaron. Russell abrió el sobre que le acababan de entregar con manos temblorosas.

—¡Apúrate, apúrate! —le dijo Sage nerviosa.

En la parte superior de una tarjeta estaba el mismo logotipo de los banderines y debajo, el acertijo.

Derecho y alto hasta el cielo
un paraguas verde se alza.
Casi un ecosistema entero
en el tronco y en las ramas.

Russell pensó en las dos últimas líneas. Un ecosistema quería decir que era una comunidad de seres vivos que convivían. Un ecosistema saludable es aquel donde hay un equilibrio.

Mari lo miró esperanzada.

—Me parece que sabes qué es —dijo.

—Sí, creo que sí —dijo Russell.

Les contó a sus compañeros lo que recordaba: el árbol que habían visto en el circuito del dosel, con la bromelia que servía de cuna para los renacuajos. Tenía muchos metros de altura y en su cima anidaban las águilas. También era el árbol donde él y Mari se habían escondido, entre miles de insectos, cuando el equipo verde los siguió.

Los chicos se acercaron a Bull Gordon. Russell miró a cada miembro del equipo y todos asintieron.

—¿Es la ceiba? —preguntó Russell, haciendo énfasis en la palabra "ceiba".

Bull Gordon alzó la barbilla.

—¡Efectivamente! Equipo rojo, ustedes son los primeros en terminar esta etapa de la competencia y, por lo tanto, tendrán ventaja en la próxima.

Russell sintió que se estremecía de pies a cabeza. Sus compañeros no gritaron, pero todos se abrazaron. Habían salido victoriosos.

—No es justo —dijo Jayden bien alto para que todos lo oyeran—. La respuesta era un árbol, no un animal. Esta es una competencia de vida silvestre.

El equipo rojo detuvo su sencilla celebración y todos miraron al anfitrión.

—Yo diría que el hábitat de un animal es muy importante —dijo Bull Gordon a todo el grupo—. La ceiba provee alimento y hogar a innumerables criaturas de la selva. Es el ejemplo

perfecto de cómo los organismos de un ecosistema se interrelacionan y dependen unos de otros.

Russell suspiró aliviado y se dio cuenta de que Sage lo observaba.

—Ya sé qué es —dijo Sage.

—¿Qué? —preguntó Russell.

—Lo que te pregunté antes, acerca de lo que puedes ofrecerle al equipo —continuó Sage.

Russell recordó el día anterior. Le parecía que había pasado mucho tiempo desde entonces.

—Tú sí sabes lo que significa trabajar en equipo. ¿Qué más podemos pedir? ¡Gracias! —dijo Sage.

—¡Gracias a ustedes! —contestó Russell riéndose, pero lo dijo muy en serio.

Cada uno de sus compañeros lo felicitó.

Los miembros del equipo verde también se le acercaron.

—Al menos uno de nosotros quedó en primer lugar. Estamos juntos en esto, ¿verdad? —dijo Damien saludándolo amistosamente.

Russell asintió; aunque no estaba muy convencido.

Dallas le sonrió de oreja a oreja, como cuando finalizaban un partido. También le dio unos golpecitos en el hombro.

—Me alegro de que tengas un equipo sólido. A lo mejor podemos colaborar en la siguiente etapa —dijo Dallas.

—A lo mejor —respondió Russell sin mirarlo a los ojos.

Sus amigos habían hecho trampa y él no sabía cómo resolver el problema. No estaba bien que se salieran con la suya, pero tampoco quería que los echaran de la competencia. Los conocía desde hacía mucho tiempo y no quería que dejaran de ser amigos.

Miró a Mari, Dev y Sage: su nuevo equipo, sus nuevos amigos. Tenía la esperanza de que no se decepcionaran de él si algún día sabían la verdad.

Entonces, escuchó los gritos de otros chicos que se acercaban. ¿Quién sabe? A lo mejor ellos serían sus verdaderos contrincantes en la próxima etapa. Los miembros del equipo rojo habían sobrevivido y triunfado en la selva, pero ya Russell deseaba que empezara la siguiente aventura.

¿Quieres saber qué sucede cuando la competencia

se traslada a la Gran Barrera Coralina?

Lee un avance de la siguiente etapa

en la próxima página.

Justo en ese instante apareció un bote de motor por detrás de una isla cercana. Javier le hizo señas.

—¡Prepárense para el primer reto! —anunció Javier sosteniendo una caja de lona.

El guía levantó la tapa de la caja. Dentro había algo parecido a un teléfono inteligente con una antena corta.

—La *ancam* —gritó Dev, hundiendo la mano en la caja.

—¡Qué emocionado estás! —dijo Russell en tono burlón.

Aunque al principio Dev detestaba la *ancam*, enseguida aprendió a manejar el pequeño dispositivo, que era una combinación de *walkie-talkie* y cámara. A través de ella los organizadores les enviaban las instrucciones y los acertijos y ellos los respondían.

—Llegó la hora. Vayan para aquel bote —dijo Javier.

—¿Ya la tienes? —le preguntó Sage a Dev, cerciorándose de que él se encargaría del dispositivo de comunicación.

Dev alzó la *ancam* y sonrió.

Sage se llevó las manos a las orejas instintivamente para asegurarse de que tenía los aretes y luego se zambulló. El frío del agua hacía parecer todo más real. Había empezado la competencia. Con fuertes brazadas, llegó a la otra embarcación.

Subió por la escalerilla a la pequeña cubierta y desde allí observó al resto de su equipo. Dev se acercaba nadando. Su grueso cabello negro se veía más lacio que nunca, mojado contra su tez morena. Russell no parecía ser un buen nadador, a pesar de tener un cuerpo atlético y de que practicaba deportes. Pateaba con torpeza y su respiración carecía de un ritmo regular. A Mari le estaba costando más trabajo aún. Cuando por fin llegó a la escalerilla, Sage le dio la mano para ayudarla. Parecía desorientada mientras el agua salada le corría por el rostro.

—¿Estás bien? —le preguntó Sage.

—Creo que sí —respondió Mari, sentándose enseguida en un banquillo a un costado de la cubierta.

Sage se volvió hacia la capitana del barco y el primer oficial de cubierta. Ambos llevaban camisa de manga larga para protegerse del sol. Tenían los mismos ojos azules brillantes y un espacio entre los dientes delanteros. Parecían madre e hijo.

—¡Hola! Somos de "La vida silvestre" —dijo Sage.

—Lo sabemos, por eso estamos aquí. Me llamo Gayle y este es Cole —contestó la mujer.

—¡Nos llegó el acertijo! —dijo Dev alzando la *ancam*—. Se los voy a leer.

```
Dos suben a lo alto y desde allá
    avistan un hermoso caudal.
   No será una casualidad:
  un caudal de verdad será.
```

—¡Puaj! Necesitan cambiar de escritores. Es muy feo repetir palabras en una misma rima —dijo Dev.

—Pero tienen significados distintos —señaló Mari.

—De cualquier manera, es una vergüenza —dijo Dev.

—¡A quién le importa! Tenemos el acertijo —gritó Sage alzando los brazos frustrada y volviéndose hacia Gayle—. ¿Es este un barco de paravelismo? —preguntó, mirando los equipos que había cerca de la popa.

—Así es, y necesito dos voluntarios —dijo Gayle.

—Ven conmigo, Dev —dijo Sage y agarró unos binoculares.

Dev la miró confundido.

—Tú tienes la *ancam* —añadió Sage.

Dev miró a Mari y a Russell y luego se paró junto a Sage. Los chicos tuvieron que maniobrar un montón de hebillas, broches y correas para ponerse los chalecos salvavidas y los arneses.

—Mari, ¿nos puedes dar alguna pista? —preguntó Sage.

—Creo que se refiere a la aleta caudal de la ballena. La cola de la ballena tiene dos aletas caudales. Cuando las ballenas jorobadas saltan fuera del agua y vuelven a sumergirse, lo último que se ve son las aletas caudales. Es algo muy bello —dijo Mari.

Sage asintió. Pensó que quizás debería haber elegido a Mari para hacer paravelismo con ella; pero sabía que Dev sacaría la mejor foto.

—Este es un buen momento para ver las ballenas jorobadas —continuó Mari—. Acaban de migrar. En invierno las aguas de la Gran Barrera Coralina son más cálidas que las del Océano Ártico.

Rápidamente, Gayle y Cole aseguraron a Sage en su lugar en una pequeña embarcación parecida a una góndola. A Sage le recordó un teleférico. Dev se detuvo varios pasos atrás. Miraba de un lado a otro, primero una cosa y luego otra. Por fin se acercó para que Gayle y Cole lo amarraran a él también.

Gayle haló una palanca para soltar el paracaídas, que se hinchó detrás del bote y se alzó, elevando a Sage y a Dev. Sage sintió que le saltaba el estómago.

—¿Qué mirabas? —preguntó Sage.

—Trataba de decidir si esto es algo seguro o no. Mi papá se moriría de los nervios si me ve —gritó Dev para que lo escuchara.

—¿Por qué?

—Porque es ingeniero y está muy pendiente de cómo funcionan las cosas.

Sage había estado tan concentrada en la competencia que no se había detenido a pensar en la seguridad. Eso le sorprendió, con todo lo que había pasado durante el último año. Para ella lo fundamental era llegar a la meta.

—Recuerda que estamos en busca de ballenas, ballenas que salten y que se les vea la cola —dijo Sage, tratando de concentrarse en algo que estuviera bajo su control.

Sage admiró la vista. Se hallaban a muchos metros de altura y el agua debajo era de un azul intenso. Hacia la costa se divisaban los arrecifes. Allí el agua era más baja y parecía mucho más brillante. Se veían muchos arrecifes bordeando la costa. Desde lo alto parecían formar un collar de turquesas. Era difícil creer que algo tan grande estuviera vivo y que los animales que lo conformaban fueran pequeñísimos.

—Es increíble estar aquí arriba —gritó Sage.

—Sí, ojalá Mari y Russell pudieran verlo —dijo Dev.

—Sí —dijo Sage.

—¡Mira esto! —dijo Dev apuntando a la *ancam*—. Le agregaron un lente de teleobjetivo. No les debe haber quedado más remedio que hacerlo, sin él no podríamos sacar una foto ni siquiera regular.

Mari les había dicho que en la carpeta que les dieron decía que había que mantener cierta distancia para el avistamiento de las ballenas. Ningún barco tenía permitido acercárseles a menos de 91 metros por razones de seguridad.

Dev miró a través de la *ancam* y trató de enfocar algo debajo.

—¡Eh, mira! —dijo emocionado.

—¿Qué? —preguntó Sage esperanzada.

—Russell está manejando el bote —dijo Dev.

—Pensé que estabas preocupado por la seguridad —dijo Sage.

—No lo dejarán hacer ninguna locura —dijo Dev, pero en ese mismo momento la góndola bajó repentinamente.

—¿Qué fue eso? —gritó Sage. Le pareció que los órganos del cuerpo se le habían subido a la boca.

Dev miró la superficie del agua.

—Deben haber visto algo... —dijo.

¡LEE "JUEGOS EN LA GRAN BARRERA CORALINA" PARA QUE TE ENTERES DE QUÉ PASARÁ!

SOBRE LA AUTORA

KRISTIN EARHART se crio montando a caballo, fastidiando a su gato y leyendo cuentos de animales fabulosos. Actualmente vive con su esposo e hijo en Brooklyn, Nueva York, y es autora de varios libros. Todavía ama a los animales, pero cuando fastidia a su gato este le responde fastidiándola a ella.